DIE UNHEIMLICHE
BIBLIOTHEK
Haruki Murakami
Mit Illustrationen von
Kat Menschik

図書館奇譚

村上春樹

イラストレーション
カット・メンシック

新潮社

Design by Shinchosha Book Design Division

図書館奇譚

DIE UNHEIMLICHE
BIBLIOTHEK

目次

図書館奇譚

図書館はしいんとしていた。本が音という音をすべて吸いとってしまうのだ。本に吸いとられた音はいったいどうなるのだろう？　もちろんどうもならない。要するに音が消えたのではなく、空気の振動が吸いとられただけなのだ。

それでは本に吸いとられた振動はいったいどうなるのだろう？　どうにもならない。振動はただ単に消え失せただけだ。振動はどうせいつか消える。なぜならこの世界に永久運動は存在しないから。永久運動は永久に存在しない。

時間だって永久運動ではない。来週のない今週だってあるのだ。先週のない今週だってあったのだ。

それでは今週のない来週は……

もうやめよう。

とにかくぼくは図書館にいた。そして図書館はとてもしいんとしていた。必要以上にしんとしていた。

ぼくは買ったばかりの茶色の革靴をはいていたので、グレーのリノリウムの床はこつんこつ、ん、という堅く乾いた音を立てた。なんだか自分の靴音じゃないみたいだ。新しい革靴をはくと自分の足音に慣れるまでにずいぶん時間がかかる。

貸出しカウンターには、見たことのない中年の女性が座って本を読んでいた。とてもぶ厚い本で、右側に外国語の、左側に日本語の文章が印刷されていた。同じ文章ではないようだった。左右で段落や改行がまるで違っていたし、さし絵も違っていた。左のページのさし絵は太陽系の軌道図で、右側のは揚水機についたバルブみたいな金属部品だった。何についての本なのか、まるでわからない。しかし彼女はうんうんと熱心に肯《うなず》きながら本に目を走らせていた。目の動きから見ると左目で左のページを、右目で右のページを読んでいるらしい。

「すみません」

彼女は本をわきに押しやってぼくを見上げた。

「本を返しに来たんです」とぼくは言って二冊の本をカウンターに置いた。一冊は『潜水艦建造史』で、もう一冊は『ある羊飼いの回想』だった。『ある羊飼いの回想』はなかなか愉快な本だ。羊は冗談と音楽が大好きな動物なのだ。そのことをぼくはこの本で初めて知った。

彼女は本の裏表紙をめくって期限を調べた。もちろん期限内だ。ぼくは日にちや時間は必ず守る。そのようにしつけられているのだ。羊飼いも同じだ。時間を守らないと羊たちはとりかえしがつかないくらい混乱してしまうから。

彼女は慣れた手つきで貸出しカードのストックを調べ、二枚のカードを返してくれた。それからまた自分の読書にとりかかった。

「本を捜しているんです」とぼくは言った。

「階段を下りて右。１０７号室」と彼女は目も上げず、手短かに言った。


階段を下りて右に曲がると、たしかに１０７というドアがあった。深くて薄暗い地下室で、ドアを開けたらそのままブラジルにでも出てしまいそうな気がする。この図書館には百回も来ているけど、地下室があったなんて初耳だ。

まあいいや。

ぼくはドアをノックした。軽くノックしただけなのに蝶番《ちょうつがい》があやうくはずれそうになった。ずいぶんくたびれたドアなのだ。ぼくは蝶番をもとに戻してからそっとドアを開けた。

部屋の中には小さな古い机があって、その後ろには顔に小さなしみがいっぱいついた老人が座っていた。老人は禿《は》げて、度の強い眼鏡をかけていた。今ひとつすっきりとしない禿げかただった。ちりちりとねじれた白い髪が山火事のあとみたいな感じで頭皮にしっかりとしがみついていた。いっそのこと全部剃《そ》ってしまえばいいのにとぼくは思った。でもそういうのはもちろん人好きずきだ。他人が口を出す問題じゃない。

「ようこそ」と老人は言った。「何ぞ御用かな？」

「本を捜してるんです」とぼくは言った。「でももしお忙しければまた今度……」

「いやいやいや、忙しいわけなんてありますかな」と老人は言った。「それが私の仕事ですから、どんな本でもお捜ししましょうぞ。いかような本をお捜しで？」

「実は、オスマン・トルコ帝国の収税政策について知りたいのですが」

老人の目がきらりと光った。「なあるほど。オスマン・トルコ帝国の収税政策、とな」

なんだかとても居心地が悪かった。正直なところ、オスマン・トルコ帝国の収税政策がどうしても知りたいというわけではなかった。地下鉄の中でなんとなく、オスマン・トルコ帝国の収税政策って、いったいどんなものだったんだろうな、とふと思いついただけだ。べつにそれは三角測量の歴史というテーマでもよかったのだ。

「オスマン・トルコ帝国の収税政策」と老人は繰り返した。

「でもべつにいいんです。それほど急ぐことでもありませんし、それにけっこう専門的なことですから。国会図書館にでも行ってみます」

「ふざけたことを言っちゃいかん」と老人は言った。どうやら気分を害したようだった。

「ここにはオスマン・トルコの収税政策を扱った本が何冊もある。少しここで待っておりなさい」

「はい」とぼくは言った。

老人は部屋の奥にあるスチール製のドアを開けて別室に消えた。ぼくはそこに立ったまま十五分も老人の帰りを待っていた。途中でこのまま帰ってしまおうかとも思ったが、いくらなんでも老人に悪いと思ってやめた。小さな黒い虫が一匹、電灯のかさの裏を這《は》いまわっていた。

老人は三冊のぶ厚い本を抱えて戻ってきた。どれもおそろしく古く、装丁はほどけかけていた。狭い部屋中に古い紙の匂いが漂った。

「ほら」と老人は言った。「『オスマン・トルコ収税史』、それから『オスマン・トルコ収税吏の日記』、それから『オスマン・トルコ帝国内における非納税運動とその弾圧について』。ちゃんとあるじゃろうが」

「どうもありがとうございました」と言ってぼくはその三冊を手にとり、出口に向いかけた。

「待て待て、待ちなさい。その本は三冊とも貸出し禁止なんじゃよ」と老人は言った。

たしかに本の背中には禁帯出という赤いラベルが貼ってあった。

「もし読みたければ奥の部屋で読んでもらうことになっておる。ここから持ち出すことはできない」

「でも」と言ってぼくは腕時計を見た。五時二十分だった。「そろそろ図書館も閉館時刻ですし、夕食までに帰らないと母も心配しますから」

「閉館時刻なんぞ問題ではない。わしが良いと言うておるんだから、それで良いんじゃ。それともわしの好意は気に入らんか？　わしは何のためにこの三冊の本を捜したのかな？　え？　運動のためか、健康のためか？」

「どうもすみません」とぼくは謝った。「そんなつもりはなかったんです。ただ禁帯出だとは知らなかったものですから」

老人は深い咳《せき》をして、ちり紙の中にぺっとたんを吐いた。しばらくそれを眺めてから、ごみ箱がわりに床に置かれた段ボール箱の中に捨てた。顔のしみがぴくぴくと震えていた。

「知る知らんの問題じゃあないわ」と老人は吐き捨てるように言った。「わしがお前の年の頃には、それこそ血のにじむような思いをして本を読んどった」

「じゃあ三十分だけ読んでいきます」。ぼくは何かを断るのがとても苦手なのだ。「でもそれ以上はだめです。母はすごく心配性なんです。小さい頃に、近所の犬にふくらはぎを噛まれて以来、ぼくの帰りが少しでも遅くなると狂乱状態になるんです。つづきは今度の日曜に来て読みますから」

老人の顔がわずかに和《なご》んだ。ぼくはほっとした。

「こちらにおいで」と言って老人はスチールのドアを開けてぼくを手招きした。ドアの奥は薄暗い廊下だった。古い電灯の光が細かいちりのように宙にまたたいていた。

「わしのあとをついておいで」と言って老人は廊下を歩いた。奇妙な廊下だった。しばらく歩くと廊下は左右にわかれていた。老人は右に曲がった。そのすぐあとに、まるで蟻《あり》の巣のように廊下の両わきに枝道がいっぱい現われた。老人はロクにたしかめもせずに枝道のひとつに入りこんだ。ぼくは三冊の本を胸に抱え、ことのなりゆきもよくわからないままに老人のあとを追った。老人の足はみかけよりずっと速く、いったい自分が何本目の枝道に入ったのかも数えられなかった。そして少し歩くとまた枝道。そしてT字路——ぼくの頭はもう完全に混乱していた。市立図書館の地下にこんな広大な迷路があるなんて絶対に馬鹿げている。市がこんな地下迷路の建設予算を承認するわけがないのだ。ぼくは老人にそのことを質問してみようかとも思ったが、どなられるのが怖くてやめた。

つきあたりに同じようなスチールのドアがあった。ドアには「閲覧室」という札がかかっていた。あたりは夜の墓場みたいにし<ruby>ん</ruby>としていた。ぼくの革靴だけがこつんこつんと音を立てていた。老人はまるで音を立てずに歩いた。

老人は上着のポケットから、じゃらじゃらと音を立てて鍵の束をとり出した。そして電灯の下で目を細め、たくさんの鍵の中から一本を選び出し、ドアの鍵穴につっこんでまわした。

棺のふたを開けるような、大きな不吉な音があたりに響いた。とても嫌な感じだった。

*

「ささてさて」と老人は言った。「中に入るんじゃ」

「だって中はまっ暗じゃありませんか」とぼくは抗議した。

老人は不快そうに咳払いすると背筋をしゃんとのばしてぼくの方を向いた。老人は急に大男になったように見えた。目が夕暮の山羊みたいにきらりと光った。

「おい、若いの。誰もおらん部屋の電灯を一日点《つ》け放しにしておけと言うのか、え？　お前はわしにそう命令するのか？」

「いや、そんなつもりじゃ……」

「ええい、うるさいわ。もういい。帰れ。どこにでも行ってしまえ」

「すみません」とぼくは謝った。老人はすごく不気味な存在のようにも思えたし、同時に怒りっぽいだけのただの不幸な老人のようにも見えた。ぼくは一般的に老人についてはあまりくわしくない。だからわけがわからなくなってしまう。

「そういうつもりじゃなかったんです。もしいけないことを言ったんだとしたら謝ります」

「みんなおんなじよな」と老人は言った。「口じゃなんとでも言いよる」

「本当に違うんです。暗くたってかまいません。余計なことを言ってすみませんでした」

「ふうん」と言って老人はぼくの目をのぞきこんだ。「そうか。じゃ、中に入るんだな?」

「ええ、入ります」とぼくは元気よく言った。なんだってぼくはこう、自分の思いとは逆のことを言ったりやったりしてしまうんだろう。

＊

「中はすぐに階段になっておる」と老人は言った。「転げ落ちんように壁の手すりをちゃんと持っていなさい」

ぼくは先に立って暗闇の中を進んだ。老人がドアを閉めた。鍵をかける大きな音が背後の闇の中に鳴り響いた。その音は嫌な湿り気を帯びていた。

「どうして鍵をかけるんですか?」

「規則じゃよ、規則」と老人は言った。「上の偉い連中がそういう規則を何千、何万と作りよるんじゃ。わしに文句を言われても困る」

ぼくはあきらめて階段を下りつづけた。とんでもなく長い階段だった。インカの井戸みた

いだ。壁にはぼろぼろに錆《さ》びた鉄の手すりがついていた。一筋の光もひとかけらの明りもない。頭からすっぽり頭巾《ずきん》でもかぶせられたようにまっ暗だった。

ぼくの革靴のコツコツという音だけが闇の中に響いていた。靴音がなければ自分の足かどうかさえわからないくらいだ。

「もういい。そこで止まんなさい」と老人が言った。老人はぼくを押しのけるようにして前に出ると、ポケットからまたじゃらじゃらと音を立てて鍵束を出した。鍵を鍵穴に入れてまわす音がした。完全な暗闇なのに、老人はまるですべてがくっきり見えているみたいに振舞った。

ドアが開くと、中からなつかしい黄色い光がこぼれた。弱い光だったが目が慣れるまでに少し時間がかかった。ドアの中から羊の格好をした小男がやってきて、ぼくの手を取った。

「やあ、よく来たね」と羊男が言った。

「こんにちは」とぼくはよくわけがわからないまま言った。

羊男は本物の羊の皮をすっぽりとかぶっていた。顔のところだけが開いていて、そこから一対の人なつっこそうな瞳がのぞいていた。いったいなんのためにそんな格好をしているのかはよくわからなかったが、とにかくその格好は彼にとてもよく似合っていた。羊男はぼくの顔をしばらく眺め、それからぼくの抱えている本にちらりと目をやった。

「君はここに本を読みに来たのかい?」

「そうです」とぼくは言った。

「本当に君の自由意志でここに来たのかい?」

羊男の言い方はどことなく妙だった。ぼくは口ごもった。

「ちゃんと答えるんじゃ」と老人が急《せ》かせた。「自ら望んでここに来たんじゃろうが。何をぐずぐずしておる。わしに恥をかかせるつもりか?」

「ぼくの自由意志で来ました」とぼくは言った。

「ほれみろ」と老人が勝ち誇ったように言った。

「でも先生」と羊男が老人に向って言った。「まだ子供じゃありませんか」

「ええい、うるさいわ」。老人は突然ズボンの後ろから短かい柳の枝を出して羊男の顔をぴしりと打った。「さっさと部屋に連れていくんじゃ」

羊男は困ったような顔つきで再びぼくの手をとった。唇のわきが赤くはれていた。「さあ行こう」

「どこに行くんですか?」

「読書室だよ。君は本を読みに来たんだろ?」

羊男が先に立って、ぼくらは蟻の巣のようにくねくねと曲がった狭い廊下を歩いた。

ずいぶん長く歩いたように思う。何度も右に曲がり、何度も左に曲がった。斜めの角もあったし、S字形のカーブもあった。おかげで出発点からどれくらい離れたのかはさっぱりわからなかった。ぼくは方向を確認するのを途中であきらめて、あとはずっと羊男のずんぐりとした背中を眺めていた。羊の衣裳にはちゃんと短かい尻尾がついていて、歩くにつれてそれが振り子のように左右に揺れた。

「さてさて」と羊男が言って突然立ちどまった。「ついたよ」

「ちょっと待って下さい」とぼくは言った。「これは牢屋じゃありませんか」

「そうだよ」と羊男が肯いた。

「そのとおりじゃ」と老人が言った。

「話が違いますよ。読書室に行くっていうからここまでついてきたんじゃありませんか」

「だまされたんだよ」と羊男があっさりと言った。

「だましたんじゃ」と老人が言った。

「だってそんな……」

老人がズボンの後ろから柳の枝を出してぼくの顔をぴしりと打った。

「だまってその中に入れ。そしてその三冊の本を全部読んで暗記してしまえ。一ヵ月後にわしがじきじきに試験をする。きちんと暗記しておったらここから出してやる」

「そんなのムリですよ」とぼくは抗議した。「一ヵ月でこんな厚い本を全部暗記できるわけはないし、家では今頃母親が……」

老人が柳の枝を振りおろした。ぼくがさっと身をよけると、それは羊男の顔にあたった。それで老人は腹立ちまぎれにもう一度羊男を打った。ひどい話だ。

「とにかくこいつを中に放り込んでおけ」、そう言うと老人はすたすたと歩き去っていった。

「痛くはありませんか？」とぼくは羊男に訊ねてみた。

「大丈夫だよ。おいらは慣れてるからね」と羊男は言った。「それより君をこの中に入れちゃわなくちゃな」

「どうも気が進まないな」

「おいらだってそうさ。でもほら、世の中ってそういうもんだからさ」

「断るとどうなるんですか？」

「おいらがまたひどく打たれることになるよ」

羊男が気の毒になったので、ぼくはおとなしく牢屋の中に入った。牢屋の中にはベッドと机と水洗便器があった。洗面台には歯ブラシとコップが置いてあったが、どちらもおそろしく汚れていた。歯みがきはぼくの嫌いな苺《いちご》味だった。重い鉄の扉には上方に格子のついたのぞき窓が、下方に細長い配膳口がついていた。羊男は机の上の電気スタンドのスウィッチを

何度か点けたり消したりしてから、ぼくの方を向いてにっこりした。

「悪くないだろ？」

「ええ、まあ」とぼくは力なく言った。

「食事は一日三度、三時にはドーナツとオレンジ・ジュースも出してあげるよ。ドーナツはおいらが自分で揚げるんだ。カリッとしててとてもおいしいよ」

「それはどうも」

「じゃあ足を出して」

ぼくは足を出した。羊男はベッドの下から赤錆の浮いた鉄の球をひきずり出して、その先についた鎖をぼくの足首につけて鍵をかけた。そしてその鍵を毛皮の胸のポケットに入れてジッパーをしめた。

「すごく冷やりとするなあ」とぼくは言った。

「なあに、すぐに慣れるさ」と羊男は言った。「今、夕ごはんを持ってきてあげるよ」

「ねえ羊男さん」とぼくは質問した。「本当に一ヵ月もここにいなきゃいけないんですか？」

「そうだね」と羊男は言った。「そういうこったよね」

「一ヵ月後に本当にここから出してくれるんですね？」

「いや」

「じゃあどうなるんですか？」

「言いにくいなあ」

「お願いだから教えて下さい。家では母が心配してるんです」

「うん、つまりさ、のこぎりで頭を切られるんだよ。それで脳味噌をちゅうちゅうと吸われるのさ」

ぼくはベッドの上で頭を抱えた。いったいどこで何が狂ってしまったんだろう。何ひとつ悪いことなんかしてないのに。

「大丈夫、大丈夫、ごはんを食べれば元気になるよ」と羊男が言った。

＊

「ねえ羊男さん」とぼくは訊ねた。「どうしてぼくが脳味噌をちゅうちゅう吸われなくちゃならないんですか？」

「うん、つまりさ、知識の詰まった脳味噌というのはとてもおいしいものなんだよ。なんというか、とろりとしててね、つぶつぶなんかもあるし……」

「だから一ヵ月たっぷり知識を詰めこませてから吸うわけなんですね」

「そういうこったよね」、羊男はそう言って、軽く咳払いをした。

「でもそんなのって、いくらなんでもひどいじゃありませんか」

「うん、まあね」と羊男は言った。「でもどこの図書館でも、多かれ少なかれやってることだしさ。要するに運が悪かったんだよね」

「どこの図書館でもやってるの？」

「そうだよ。だって知識を貸し出すだけなら図書館が損をするばかりじゃないか。それに脳味噌を吸い尽くされても知識を得たいっていう人もけっこういるんだよ。君だってほかのところでは得られない知識を求めてここに来たんだろう？」

「違うんです。ほんの思いつきだったんです。本当はどうでもいいことだったんです」

羊男は困ったように首をかしげた。「ふうん、それは気の毒だね」

「ここから出してくれませんか？」

「いや、それはだめだよ。そんなことしたら、今度はおいらがひどい目にあわされちまうからさ。なにしろ毛虫壺に放り込まれるんだよ。ひどいだろ？」

「毛虫壺？」とぼくは言った。

「一万匹くらいの元気な毛虫が詰まった大きな壺に、三日間首まですっぽり入れられるんだ。君だってそんな目にあいたくないだろう？」

そんな目にはあいたくない、とぼくは思った。

＊

羊男が行ってしまうとぼくは牢屋の中に一人で残された。固いベッドにうつぶせになって一時間ばかり一人でしくしくと泣いた。青いそばがらの枕が涙でぐっしょりと濡れた。どうすればいいのか見当もつかなかった。脳味噌をちゅうちゅう吸われるのも嫌だけど、毛虫壺に放り込まれるのはもっと嫌だった。

時計は六時半を指していた。もう夕食の時間だ。家では母親が心配しているに違いない。夜中になってもぼくが帰らなかったら発狂してしまうかもしれない。そういう母親なのだ。いつも悪いことばかり想像する。悪いことを想像するかテレビを観ているか、そのどちらかだ。母はぼくのむくどりにちゃんと餌《えさ》をやってくれるだろうか？

七時にノックの音がしてドアが開き、これまでに見たこともないような美しい少女がワゴンを押して部屋に入ってきた。目が痛くなってしまいそうなほどの美しさだった。年はたぶ

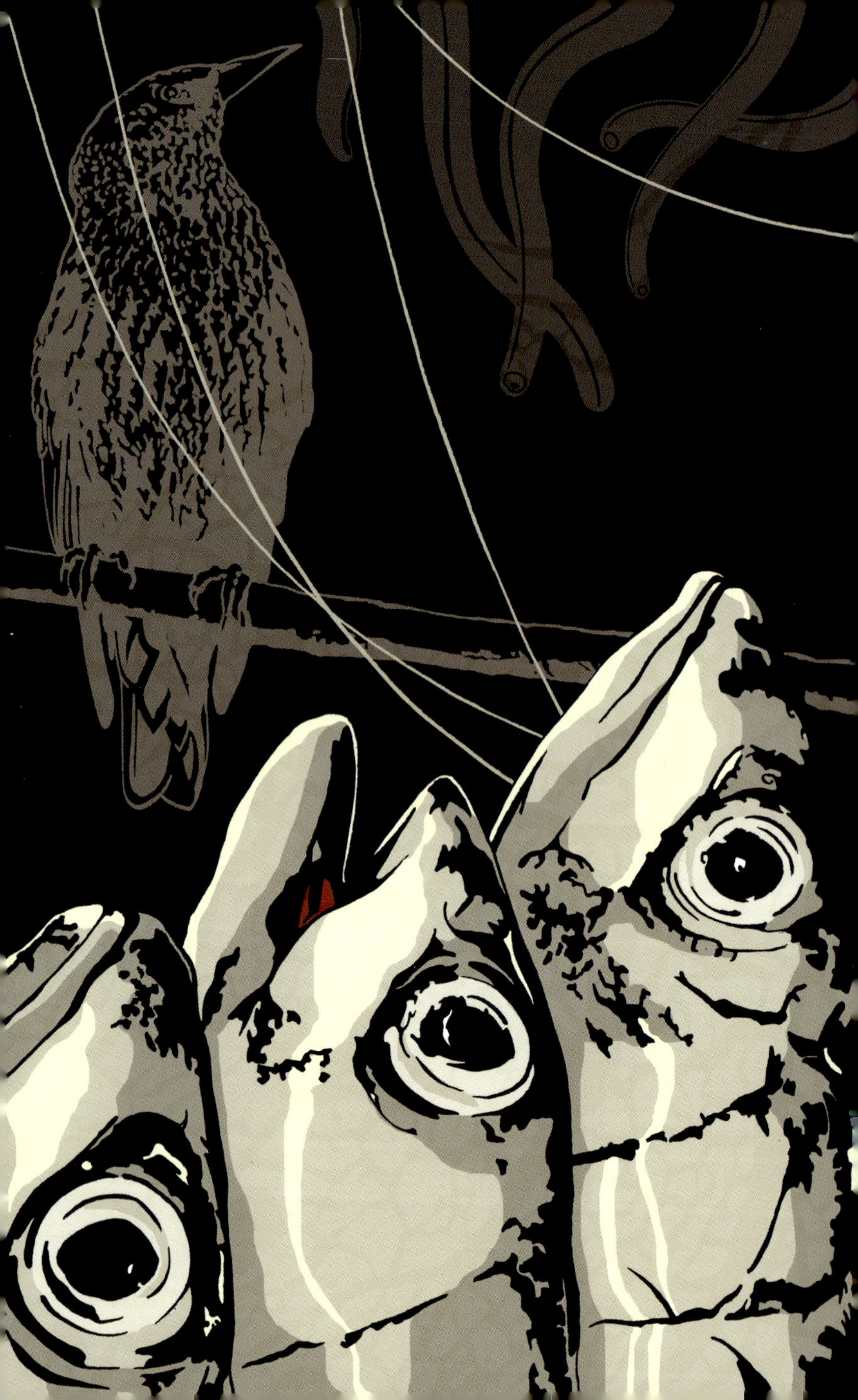

んぼくと同じくらいだろう。手と足と首は今にもぽきりと折れてしまいそうなくらい細く、長い髪は宝石を溶かし込んだようにキラキラと光り輝いていた。誰もが夢見る、そして夢でしか見ることのできない少女だ。彼女はしばらくぼくをじっと見つめてから、何も言わずにワゴンの上の料理を机の上に並べた。ぼくは口をきくこともできず、彼女の静かな手馴れた動作をただ眺めていた。

料理は思ったより立派なものだった。うにのスープとさわらのサワー・クリーム、アスパラガスの西洋胡麻《ごま》あえ、そして葡萄ジュース。バターつきのロールパン。それだけを並べ終えると、彼女は手まねで〈もう泣くのはやめて、ごはんをお食べなさいな〉と言った。

「君は口がきけないの？」とぼくは訊ねてみた。

〈ええ、小さい時に声帯をつぶされてしまったの〉

「それで羊男の手伝いをしてるんだね？」

〈そう〉彼女はほんの少し微笑《ほほえ》んだ。見ているだけで心臓がふたつに裂けてしまいそうな、素敵な微笑だ。

〈羊男さんはやさしい人よ。ただおじいさんのことを心底怖がっているの〉

ぼくはベッドに腰かけたまま彼女をじっと見つめた。彼女はそっと目を伏せると、次の瞬間には部屋から消えていた。五月に吹く特別な風のような、ひらりとひそやかな動作だった。

ドアの閉まる音さえ耳には届かなかった。

食事はおいしかったが、半分も喉をとおらなかった。まるで麻袋をちぎって、喉の奥にムリに押し込んでいるような気分だった。食器を片づけてからベッドに寝転び、いったいこの先どうすればいいのか考えてみた。結論はひとつしかない。とにかくここから逃げ出すことだ。図書館の地下にこんな迷路があるなんて絶対に間違っているし、誰かが誰かの脳味噌を吸うなんて許されるべきではない。それに母親を発狂させたり、むくどりを飢え死にさせたりするわけにもいかない。

しかしどうやってここから逃げ出すかということになると、まったく考えが浮かばない。足にはおもりがついているし、ドアには鍵がかかっている。それにもしこの部屋から抜け出せたとしても、あのまっ暗な迷路をどうやって逃げればいいのだろう。

ぼくはため息をついて、またしばらく泣いた。ぼくはとても性格が弱い。いつだって母親とむくどりのことばかり考えている。どうしてこんな風になってしまったんだろう？　きっと犬に嚙まれたせいだ。

しばらく泣いてから、美少女のことを思い出して元気を出すことにした。やるだけのこと

はやってみよう。何もしないよりはずっとましだ。羊男だって美少女だって、それほど悪い人たちとは思えないし、きっといつか逃げ出す機会は巡《めぐ》ってくるはずだ。

ぼくは『オスマン・トルコ収税吏の日記』を手にとって、机に向ってページを繰った。うまく逃げ出すためには、まず柔順になったふりをしなくてはならない――とはいってもそれはむずかしいことではなかった。ぼくはもともとおそろしく柔順な性格なのだ。

『オスマン・トルコ収税吏の日記』は古トルコ語で書かれた難解な本だったが、不思議なことにすらすらと読むことができた。おまけに読んだページは隅から隅までぼくの頭の中に記憶された。頭が良くなるというのはとても素晴しい感覚だ。理解できないことなど何ひとつない。脳味噌をちゅうちゅうと吸われてもいいから、たとえ一ヵ月だけでもかしこくなりたいと願う人々の気持は、わからないでもなかった。

ぼくは本のページを繰りながら収税吏イブン＝アルムド・ハシュールとなり（本当はもっとずっと長い名前だ）、半月刀を腰に、税を集めるべくバグダッドの通りを歩きまわった。通りにはにわとりの匂いや、煙草やらコーヒーの匂いが淀んだ川のようにたちこめていた。果物売りは見たこともない不思議な果物を店先に並べていた。

ハシュールは有能かつ物静かな役人で、三人の妻と五人の子供がいた。彼はインコを二羽飼っていたが、インコはむくどりに劣らずかしこく、可愛かった。ハシュールであるぼくは三人の妻たちと何度か愛の営みを持った。こういうのって、なんだかすごく変だ。

九時半に羊男がコーヒーとクッキーを持ってやって来た。

「おやおや、感心だねえ。もうお勉強してんのかい？」

「ええ、羊男さん」とぼくは言った。「とても面白いです」

「そりゃよかった。でも一服してコーヒーでも飲みなよ。はじめから根をつめると、あとが大変だからさ」

ぼくは羊男と一緒にコーヒーを飲み、クッキーを食べた。ぽりぽり。

「ねえ、羊男さん」とぼくは訊ねてみた。「脳味噌を吸われるのってどんな感じなんですか？」

「うん、そうだね、思っているほど悪くはないもんだよ。ちょうどね、頭の中にからまった糸をつうっと抜かれるような気分らしいよ。なにしろもう一度やってほしいっていう人もいたくらいだからね」

「へえ」ぼくは感心した。「でも脳味噌を吸われちゃったあとはどうなるんですか？」

「残りの人生をぼんやりと、夢見ながら暮らすんだよ。悩みもなきゃ、苦痛もない。イライラもない。時間の心配をしたり、宿題の心配をしたりしなくてもいい。どう、悪くないだろう？」

「でものこぎりで頭を切られちゃうんでしょ？」

「そりゃ少しは痛いさ。血も出るしね。でもほら、そういうのはすぐに終わっちゃうから」

「そうかな？」とぼくは言った。どうも話がうますぎる。「ところであの美少女は脳味噌を吸われなかったんですか？」

羊男は椅子から二十センチもとびあがった。作りものの耳がはたはたと揺れた。「なんだい、その美少女っていうのは？」

「食事を持ってきてくれた女の子ですよ」

「変だな。食事はおいらが持ってきたんだよ。そのとき君はぐっすり寝てたんだぜ。おいらは美少女なんかじゃないよ」

また頭が混乱した。やれやれ。

＊

翌日の夕方、その口のきけない美少女は再びぼくの部屋に現われた。

彼女はワゴンの上に夕食を載せていた。今回の食事はトゥールーズ・ソーセージのポテト・サラダ添えといとよりのファルシと貝割れ草のサラダ、それにポットに入った濃い紅茶だった。いらくさからの素敵なポットだ。

〈ゆっくりお食べなさい。残さないようにね〉と美少女は手まねで言った。そしてにっこりと笑った。空がふたつに割れて落ちてきそうなほど素敵な笑顔だった。

「君はいったい誰なの？」とぼくは訊ねた。

〈私はわたし、それだけよ〉と彼女は言った。彼女のことばは耳からではなく、ぼくの胸のまんなかから聞こえてきた。すごく変な感じだ。

「でも羊男さんは君は存在しないって言ってるよ。それに……」

彼女は小さな唇に指を一本あて、ぼくに黙るように命令した。ぼくは黙った。ぼくは命令に従うのがとてもうまい。特殊能力といってもいいくらいだ。

〈羊男さんには羊男さんの世界があるの。私には私の世界があるの。あなたにはあなたの世界がある。そうでしょ？〉

「そうだね」とぼくは言った。

〈だから羊男さんの世界で私が存在しないからって、私がまるで存在しないってことにはならないでしょ？〉

「つまり」とぼくは言った。「そんないろんな世界がみんなここでいっしょくたになってるってことなんだね。そしてかさなりあってる部分もあるし、かさなりあっていない部分もある」

〈そのとおりよ〉と美少女は言った。

ぼくだってまるっきり頭が悪いわけではない。犬に噛まれて以来その働き方が少しいびつになっただけなのだ。

〈わかったら早くごはんをお食べなさいな〉と美少女は言った。

「ねえ、ごはんを食べるあいだ、しばらくここにいてくれないかな」とぼくは言った。「一人になるとすごく淋しいんだ」

彼女は静かに微笑んでベッドの端に腰かけ、両手をきちんと膝の上に置き、ぼくが夕食を食べるのを見守っていた。彼女は柔らかな朝の光を受けたガラスの置き物みたいに見えた。

「一度、ぼくのお母さんとむくどりに会ってほしいな。むくどりはとても頭がよくて、かわいいんだ」

彼女はほんの少し首を動かした。

「それからもちろんお母さんにもね」とぼくはつけ加えた。「ただ、お母さんはぼくのことを心配しすぎるんだ。小さい頃犬に噛まれたものだからね。でも犬に噛まれたのはぼくのせいで、お母さんのせいじゃない。だからお母さんはぼくのことをそんなに心配する必要はないんだ。だって犬は……」

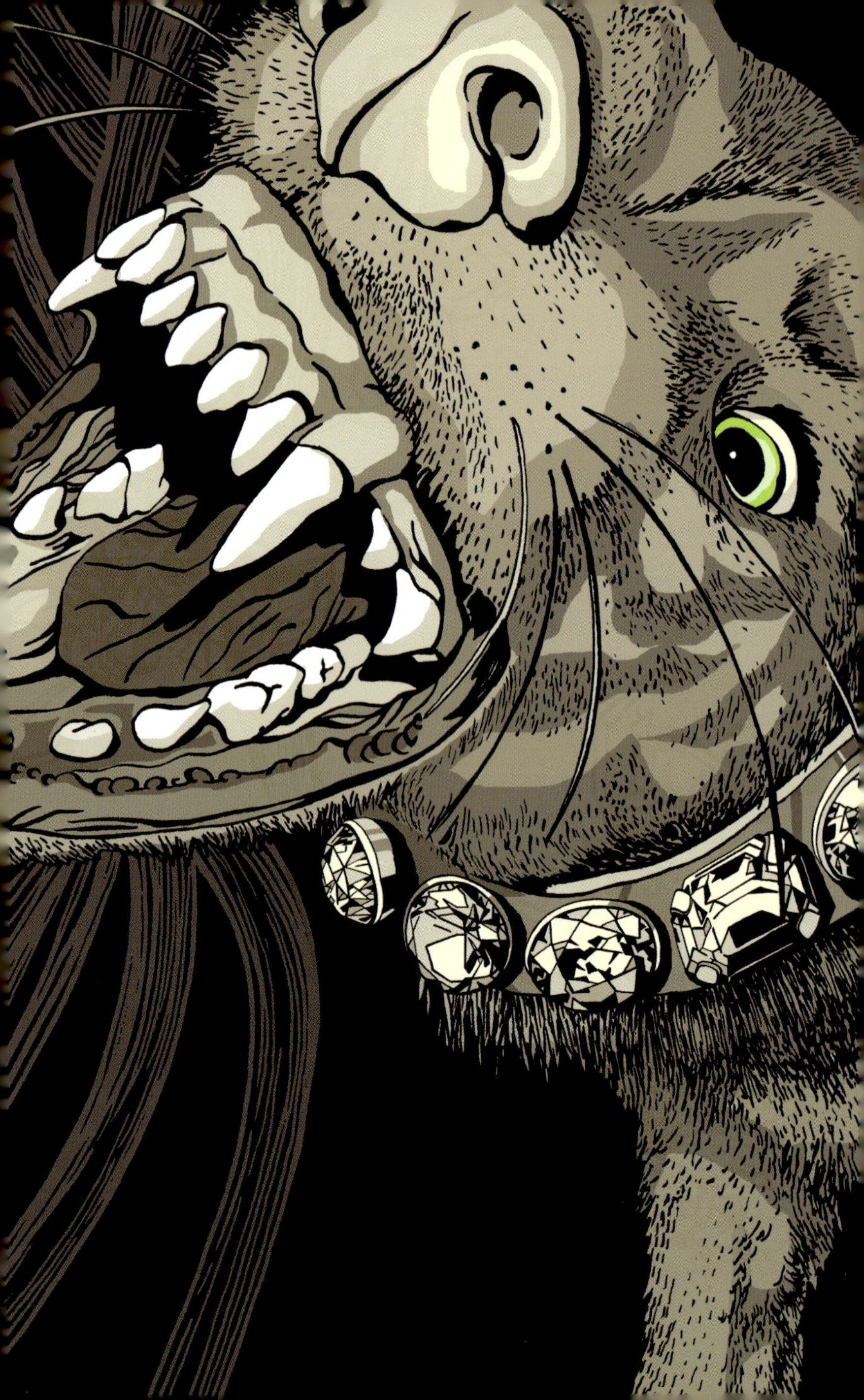

〈どんな犬?〉と少女は訊ねた。

「大きな黒い犬だよ。宝石入りの革の首輪をつけていてね、目が緑なんだ。足がとても太くて、爪が六本もあるんだ。耳の先がふたつに割れていて、鼻は日焼けしたみたいな茶色だよ。犬に噛まれたことは?」

〈ないわ〉と少女は言った。〈でも、いいからごはんをお食べなさい〉

ぼくは黙って夕食のつづきを食べた。料理を食べ終えると皿を片づけ、紅茶を飲んだ。

〈ねえ〉と少女が言った。〈ここを出て、あなたのお母さんとむくどりのところに一緒に帰りましょう〉

「そうだね」とぼくは言った。「でもここからは抜け出せないよ。扉にはぜんぶ鍵がかかってるし、外は暗い迷路だし、それにぼくが逃げると羊男さんがひどい目にあわされるんだ」

〈でも脳味噌を吸われるのは嫌でしょ? 脳味噌を吸われちゃうと、記憶や思いはいったん空っぽになってしまうから、もう二度と私には会えないのよ〉

ぼくは首を振った。ぼくにはわからない。いろんなことがかさなりすぎているのだ。脳味噌は吸われたくないし、美少女と別れるのも嫌だ。でも暗闇は怖いし、羊男をつらい目にあわせたくもない。

〈羊男さんも一緒に逃げるのよ。あなたと私と羊男さんと、三人で逃げるの〉

「それならいいや」とぼくは言った。「でもいつ？」

〈明日〉と少女は言った。〈明日はおじいさんが眠る日なの。おじいさんは新月の夜にしか眠らないの〉

「羊男さんは承知するかな？」

〈わからないわ。でもそれは羊男さんが自分で決めることだから〉

「そうだね」とぼくは言った。

〈もうそろそろ行かなくちゃいけないわ〉と美少女は言った。〈羊男さんには明日の夜になるまで、何も言っちゃだめよ。あの人はすぐ心を読まれてしまうから〉

ぼくは肯いた。そして美少女は昨夜と同じように、ほんの少し開いた扉のすき間からひらりと姿を消した。


ぼくが本を読みかけた頃に羊男がドーナツとレモネードを載せた盆を持ってやってきた。

「進んでるかい？」と羊男が言った。

「ええ、羊男さん」とぼくは言った。

「この前約束しておいたドーナツを持ってきてあげたよ。揚げたてだから早いうちに食べた

方がいいよ」

「ありがとう、羊男さん」

ぼくは本をかたづけて、ドーナツをかじった。まだ温かくてカリッとして、とても良い味だった。

「どうだい、おいしいだろう」

「ええ、羊男さん、こんなおいしいドーナツ、どこをさがしたってありませんよ」とぼくは言った。「羊男さんがドーナツ屋さんを始めたらすごく繁盛すると思うな」

「うん、おいらもね、それはちょっと考えていたんだよ。そんなことができたらいいだろうなってさ」

「きっとできますよ」

羊男はベッドの美少女が腰かけていたのと同じところに腰を下ろした。ベッドの端から短かい尻尾が垂れ下がっていた。

「でもだめだよ」と羊男は言った。「誰もおいらのことなんか好きにならないよ。こんな変な格好してるし、歯だってろくにみがいてないし……」

「ぼくが手伝いますよ。ぼくが売ったり、皿を洗ったり、ナプキンをたたんだり、お金の計算したりします。羊男さんは奥でドーナツを揚げてればいいんです」

「そうなるといいけど――」と羊男はさびしそうに言った。彼の言いたいことはぼくにはよくわかった。

でも結局はおいらはここでずっと柳の枝でぶたれ続けるんだし、君はもう少ししたら脳味噌を吸われるんじゃないか……

羊男は暗い顔をしたまま盆を手に部屋を出ていった。よほど脱出計画のことを打ちあけようかとも思ったが、美少女のことばを思い出してやめた。いずれにしても明日になればすべてがはっきりする。

『オスマン・トルコ収税吏の日記』を読んでいるうちに、ぼくは再び収税吏イブン＝アルムド・ハシュールになった。昼はバグダッドの通りを歩きまわり、夕方には二羽のインコに餌をやった。夜空には剃刀《かみそり》のように細い月が浮かんでいた。遠くから誰かの吹く笛の音が聞こえた。黒人の召使いが部屋に香をたき、小さな蠅叩《はえたた》きを持ってぼくのまわりから蚊《か》を追い払った。蠅みたいに大きな黒い蚊だった。

ベッドでは三人の妻のうちの一人である美少女がぼくを待っていた。

〈とても良い月です〉と彼女は言った。〈明日は新月です〉

インコに餌をやらねば、とぼくは言った。

〈インコにはさきほど餌をやられたではありませんか〉と美少女が言った。

そうか、そうだったな、とぼくは言った。ぼくはついインコのことばかり考えてしまう。

彼女は服を脱ぎ、ぼくも服を脱いだ。彼女の体は細くて、つるりとして素敵な匂いがした。剃刀の月が彼女の体にわけのわからない光を投げかけていた。笛の音はまだ続いていた。ぼくは蚊屋のかかった広いベッドの上で彼女を抱いた。ベッドはちょっとした駐車場くらいの広さがあった。隣りの部屋ではインコが鳴いていた。

〈とても良い月です〉としばらくあとで美少女が言った。〈明日は新月です〉

そのとおり、とぼくは答えた。「新月」ということばには何かしら覚えがある。ぼくは召使いを呼んで水煙草を持ってこさせ、ベッドに横たわったままそれを吸った。水煙草は苺の味がした。

新月ということばには何か覚えがあるな、とぼくは言った。でも思い出せない。

〈新月の夜が来れば〉と美少女は言った。〈すべてがはっきりします〉

たしかにそのとおりだ。新月の夜が来ればすべてがはっきりする。

そしてぼくは眠った。苺の香りのする眠りだった。

＊

新月の夜は目のないいるかみたいにそっとやって来た。

もちろん図書館の地下深くから空は見えない。しかしその深いインク・ブルーの闇は重い鉄の扉と迷路を抜けて、ぼくのまわりを音もなくとりかこんでいった。とにかく新月の夜がやって来たのだ。

夕方ごろ、老人が読書の進捗《しんちょく》ぶりを確かめるためにやって来た。彼はこの前とまったく同じ服を着ていた。そして腰にはあいかわらず柳の枝をはさんでいた。彼はぼくの読書の進み具合を見てかなり満足したようだった。老人が満足してくれたので、ぼくもちょっと嬉しかった。

「うん、なかなか良し」と老人は言って、ぽりぽりと顎《あご》をかいた。「思ったよりはかどっておるようじゃな。感心な子よな」

「はい、どうも」とぼくは言った。ぼくはほめられるのがとても好きなのだ。

「早いとこ本を読んでしまえば――」と老人は言って、そのままふと黙りこみ、じっとぼくの目をのぞきこんだ。すごく長いあいだ老人はぼくを見ていた。何度も目をそらそうとしたがだめだった。老人の一対の目とぼくの一対の目は何かでしっかりと結びつけられているみたいだった。そのうちに老人の目がどんどんふくらんでいき、部屋の壁いっぱいが眼球の白と黒に覆《おお》いつくされた。年老いて擦り減って濁った白と黒だった。そのあいだ老人はまばたきひとつしなかった。やがて眼球は潮が引くように縮んでいって、老人の眼窩《がんか》に再びすっぽりと収まった。ぼくは目を閉じてやっと一息ついた。わきの下が汗でぐっしょり濡れていた。

「早いとこ本を読んでしまえば、早いとここから出られる。それ以外のことは考えんでよい。いいな？」

「はい」とぼくは言った。「でも母親とむくどりは元気にしているでしょうか？」

「世の中はことともなく流れておる」と老人は言った。「みんながそれぞれに自分のことを考え、その日が来るまでそれぞれに生きつづけておる。お前の母親も然《しか》り、お前のむくどりも然り。みんな同じじゃよ」

なんのことだかよくわからなかったけれど、「はい」と言ってぼくは肯いた。

老人が出ていって三十分ばかりあとで、美少女がいつものようにそっと部屋に入り込んできた。

「新月の夜だね」とぼくは言った。

〈そうね〉と美少女は静かに言って、ベッドの端にそっと腰を下ろした。新月の闇のおかげで、ぼくの目はちくちくと痛んだ。

「本当に今日ここを出るの？」とぼくは訊ねた。

美少女は黙って肯いた。彼女はとても疲れているようだった。顔色がいつもより薄く、向う側の壁がうっすらと透けて見えた。彼女の体の中で空気が微《かす》かに震えていた。

「具合でも悪いの？」

〈少しね〉と彼女は言った。〈新月のせいなの。新月になるといろんなものが少しずつ狂い始めるのよ〉

「でもぼくはなんともないよ」

彼女はにっこりと微笑んだ。〈あなたはなんともないの。だから大丈夫よ。きっとここから抜け出せるわ〉

「君は？」

〈私のことは私が自分で考えるわ。だからあなたは自分のことだけを考えなさい〉

「でも君がいなくなっちゃったら、ぼくはどうしていいかわかんないよ」

〈そんな気がするだけ〉と少女は言った。〈本当よ。あなたは日ごとに強くなっているし、

これからもますます強くなっていくの。誰にも負けないほど強くなれるわ〉
「そうかな。そんな風にも思えないけれど」とぼくは言った。
〈道は羊男さんが知ってるわ。私は必ずあとをついていくから、先に逃げて〉
ぼくが肯くと、少女は吸い込まれるように消えた。少女が消えてしまうとひどく淋しくなった。このままもう二度と彼女に会えないんじゃないかという気がした。

九時前に羊男がドーナツを皿いっぱい持ってやって来た。

「やあ」と羊男は言った。「今晩ここから逃げ出すんだって？」

「どうしてそんなこと知ってるんですか？」とぼくはびっくりして訊ねた。

「どっかの女の子が教えてくれたんだよ。すごくきれいな女の子だったな。このへんにあんな女の子がいるなんてぜんぜん知らなかったよ。どうしてかな？　君の友だち？」

「ええ、まあ」とぼくは言った。

「おいらにもあんな友だちがいるといいな」と羊男はうらやましそうに言った。

「ここから抜け出せば、羊男さんにもきっと友だちがいっぱいできますよ」

「そうなるといいね」と羊男は深いため息をついて言った。「うまくいかなかったら、おいらも君もひどい目にあわされることになるからさ。毛虫壺よりもっとひどい目にね」

毛虫壺よりひどいことって、いったいどんなひどいことなんだろう？

それからぼくらは二人でドーナツを食べ、葡萄ジュースを飲んだ。ぼくは食欲なんてなかったけれど、無理してドーナツを二つ食べた。羊男は一人で六個も食べた。たいしたものだ。

「何かをするにはまずおなかをいっぱいにしなくっちゃ」と羊男は言った。そして太い指で口もとについた砂糖を拭った。口もとは砂糖だらけだった。


どこかで柱時計が九時を打った。羊男は立ちあがって羊衣裳の袖《そで》を振り、体に馴染《なじ》ませた。出発の時間だった。

ぼくらは部屋を出て、薄暗い迷路のような廊下を歩いた。老人の目をさまさないように、足音をしのばせて歩いた。ぼくは途中で靴を脱いで廊下の隅に捨てた。二万五千円もする買ったばかりの革靴で捨てるのはすごく惜しかったけれど、大きな音を立てるわけにはいかない。もとはといえば、こんな変なところに迷いこんでしまったぼくがいけないのだ。革靴を失《な》くしちゃったことで母親はずいぶん怒るかもしれない。脳味噌を吸われないために捨てたんだと説明しても、母は信じてくれるだろうか？　いや、きっとだめだな。ぼくが革靴を失くしたことをごまかすために嘘をついてるんだと思うだろう。それはそうだ。図書館の地下で脳味噌を吸われそうになった話なんていったい誰が信じるだろう？　本当のことを言って信じてもらえないなんて、たぶんすごくつらいだろうな。

鉄の扉にたどりつくまでの長い道のり、ずっとそんなことばかり考えていた。羊男はぼくの前を黙って歩いていた。羊男はぼくより頭半分背が低い。だからぼくの鼻先で羊男のつくりものの耳がぴょんぴょんと上下に揺れていた。

「ねえ、羊男さん」とぼくは小さな声で訊ねた。「今から靴をとりに戻っちゃいけませんか？」

「うん？　靴？」と羊男はちょっとびっくりしたように言った。「だめだよ、そんなの。靴のことなんか忘れなよ。靴よりは脳味噌の方がずっと大事じゃないか」

「はい」とぼくは言った。それで靴のことは忘れた。

「おじいさんは今のところはぐっすり眠ってるけど、あの人はああ見えてもすごく敏感だから、気をつけなくちゃいけないよ」

「はい」とぼくは言った。

「途中どんなことがあっても大きな声を出しちゃだめだよ。一度あの人が目をさましてとんできたら、もう何もしてあげられないからね。あの柳の枝で叩かれると、おいらは絶対に抵

抗できなくなっちゃうんだ」

「とくべつな柳の枝なんですか？」

「いや、どうかな？」と言って羊男はしばらく考え込んだ。「どこにでもある柳の枝じゃないかな？　おいら、よくわからないよ」

ぼくにもよくわからなかった。

「ねえ」と少しあとで羊男がぼくに訊ねた。

「なんですか？」

「靴のこと、もう忘れた？」

「はい、忘れました」とぼくは言った。でもそう言われたおかげでまた靴のことを思い出した。それは誕生日に母親が買ってくれた、とても大事な革靴だったのだ。こつんこつんという気持の良い音のする立派な革靴だ。ぼくがそれを失くしちゃったことで、母親は怒ってむくどりをいじめるかもしれない。彼女はむくどりのことをすごくうるさいと思っているのだ。でも本当はむくどりは全然うるさくない。むくどりはとても静かで、物ごとをわきまえている。犬なんかよりずっと静かだ。

犬。

犬のことを考えると心臓の鼓動が速くなった。どうしてみんな犬なんか飼うのだろう？

どうしてむくどりを飼わないのだろう？　どうしてぼくの母親はあれほどむくどりを嫌うのだろう？　どうしてぼくはあんな上等の革靴をはいて図書館に来てしまったのだろう？


　ぼくらはやっと鉄の扉にたどりついた。新月の闇が心もち濃くなったような気がした。羊男は両方のこぶしにはあっと息を吹きかけ、手を握ったり開いたりした。それからポケットに手をつっこんで、そっと鍵束をとり出した。そしてぼくの方を見て、にっこりとした。

「静かにやんなくちゃね」と羊男は言った。

「そうですね」とぼくは言った。

　重い鉄の扉の鍵はかたんという音を立てて外れた。小さな音だったけれど、体に妙にずしりと響いた。少し間を置いて、羊男はそっと扉を押し開けた。扉のむこうから完全な闇が柔らかい水のように押し寄せてきた。新月が空気の調和を乱しているのだ。

「心配しなくていいよ」と言って羊男はぼくの腕をぽんぽんと叩いた。「きっとうまくいくからさ」

　そうかなあ、本当にうまくいくのかな？

＊

羊男はポケットから懐中電灯を出してスウィッチを入れた。黄色い光が階段をぼんやりと照らしだした。ぼくがここに来る時に老人につれられて下りて来た長い階段だ。階段の上にはあのわけのわからない迷路がつづいているのだ。

「ねえ、羊男さん」

「なんだい？」

「あの迷路の道筋、わかってるんですか？」

「ああ、たぶん思い出せると思うんだけどな」と羊男はあまり自信なさそうに言った。「この三、四年行ったことないんではっきりとは言えないけどさ、まあそれなりにそこそこわかるんじゃないかな」

ぼくはすごく不安になったけど、何も言わずに黙っていた。今さら何か言ったってどうなるものじゃない。

羊男とぼくは足音を立てずに階段を上った。羊男は古いテニス・シューズをはいていて、ぼくは——前にも言ったように——裸足だった。羊男は先に立ち、懐中電灯で自分の前方だけ照らして歩いた。だからぼくは真暗闇の中を進むことになり、しょっちゅう羊男のお尻にぶつかった。羊男の方がぼくよりずっと足が短かくて、どうしてもぼくの歩く速度の方が速くなってしまうのだ。

階段は冷たく、ぬるぬるして、石の角は丸く擦り減っていた。何千年も昔にできたような階段だ。空気には匂いはなかったが、ところどころではっきりとした層を作っていた。層によって密度とか温度が違う。下りて来る時には気づかなかったことだ。たぶん怖くてそこまで気を配る余裕がなかったのだろう。時々虫のようなものを踏みつけた。やわらかなぐにゃっとした感触や固くてぷつんとした感触を足の裏に感じた。暗いから何も見えないけれど、たぶん虫なのだろう。やはり靴をはいて来るべきだった、とぼくは思った。

長い時間かけて階段をのぼりきったところで、ぼくと羊男はやっと一息ついた。足がしびれて冷え切っていた。

「すごい階段ですねえ」とぼくは言った。「下りた時はこんなに長いとは思わなかったな」

「大昔は井戸だったんだよ」と羊男が教えてくれた。「でも水が涸れちゃってからは、こうしてべつのことに使われるようになったんだ」

「へえ」とぼくは言った。

「くわしいことはおいらも知らないんだけどさ、まあそういうことらしい」

それからぼくらは立ちあがり、問題の迷路へと進んだ。羊男は最初のわかれ道を右に進み、しばらく考えてから、もとに戻って左の方に進んだ。

「大丈夫ですか？」とぼくは心配になって訊ねてみた。

「うん、大丈夫。間違いない。こっちだよ」と羊男は言った。

それでもぼくは不安だった。迷路の問題点はとことん進んでみないことにはその選択の正否がわからないという点にある。そしてとことん進んでそれが間違っていたとわかった時には、だいたいもう手遅れなのだ。それが迷路の問題点だ。

羊男は何度も迷ったり引き返したりしながら前進した。立ちどまって壁をこすった指先をなめてみたり、耳を床におしつけてみたり、天井に巣をはった蜘蛛《くも》とぶつぶつ話してみたり、空気の匂いをくんくんかいでみたりした。羊男は普通とはちょっと違った記憶の回路を持っているみたいだった。

時間は刻々と過ぎていった。羊男は時折ポケットから懐中電灯を出し、時刻を確かめた。

「二時五十分」と羊男は言った。「そろそろ新月の力が弱まってくるから、気をつけなくちゃね」

そう言われればたしかに闇の密度が変化しはじめているようだった。ちりちりした目の痛みが幾分楽になっている。

　ぼくと羊男は道を急いだ。夜明けまでに最後のドアにたどりつかなければならない。夜が明ければ老人は目をさまして、ぼくと羊男が消えたことに気づき、すぐにあとを追ってくるだろう。

「間にあいそうですか？」とぼくは羊男に訊ねた。

「うん、大丈夫だよ。あとの道はすっかり思い出したからさ。心配しなくてもいいよ。おいらにまかせときな」

　たしかに羊男は道を思い出したようだった。ぼくと羊男は曲がり角から曲がり角へと迷路をすり抜けていった。やがてまっすぐな廊下に出た。羊男が懐中電灯の光を向けると廊下のつきあたりにぼんやりとドアが見えた。ドアのすき間から淡い光がかすかにこぼれていた。

「ほらね、言っただろう」と羊男は得意そうに言った。「ここまで来りゃもう大丈夫だよ。あとはあのドアから外に出るだけさ」

「ありがとう、羊男さん」とぼくは言った。

　羊男はポケットからまた鍵束を出してドアの鍵を外した。ドアを開くとそこは図書館の地下室だった。電灯が天井からぶらさがり、その下にテーブルがあり、テーブルには老人が座ってこちらをじっと見ていた。老人のわきには大きな黒い犬が座っていた。宝石入りの首輪をつけた緑の目の犬だった。足は太く、爪が六本もある。尖った耳の先がふたつに割れて、

鼻は茶色だった。昔、ぼくを噛んだ犬だ。犬は血みどろになったむくどりを歯のあいだにしっかりとくわえていた。

ぼくは思わず悲鳴をあげた。羊男が手をのばして体を支えてくれた。

「お前らを待っておったよ」と老人は言った。「ずいぶん遅かったじゃないか」

「先生、これにはいろいろとわけが」と羊男が言った。

「ええい、うるさいわ」と老人が大声でどなった。そして腰から柳の枝をひきぬき、テーブルをぴしりと打った。犬が黒く尖った耳を立てた。羊男は黙った。あたりがしいんとした。

「さてと」と老人は言った。「お前らをどうしてくれようかな」

「眠っていたんじゃなかったんですか？」とぼくは言った。

「ふふん」と老人がせせら笑った。「小賢《こざか》しい子よなあ。誰に教わったのかはしらんが、わしはそれほど甘くはない。お前らの考えとるくらいのことはお見とおしじゃわい」

ぼくはため息をついた。そんなにうまくいくわけがないのだ。おかげでむくどりまでが犠牲になってしまった。

「お前」と言って老人は羊男を柳の枝で指した。「お前はずたずたに切り裂いて、ぬるぬる穴に放り込んで、大むかでたちの餌にしてやる」

羊男はぼくの後ろで震えていた。かたかたと歯が鳴っていた。

「それからお前」と老人はぼくを指す。「お前は犬に食わせる。心臓と脳味噌だけを取り分けてから、あとの体を好きに食いちぎらせるのよ。肉と血と骨で床がどろどろになるまでな」

老人は楽しそうに笑った。犬の緑の目が妖しく光りはじめた。

その時、犬の歯のあいだでむくどりが少しずつふくらんでいることに気づいた。むくどりはやがてにわとりくらいの大きさになり、まるでジャッキみたいに犬の口を大きく押し開けた。犬は悲鳴をあげようとしたが、その時はもう手遅れだった。犬の口が裂け、骨が飛び散る音が聞こえた。老人はあわてて柳の枝でむくどりを打った。しかしむくどりはそれでもふくらみつづけ、今度は老人をしっかりと壁に押えつけた。むくどりはもうライオンくらいの大きさになっていた。そして狭い部屋はむくどりの力強い羽ばたきに覆われた。

〈さあ、今のうちに逃げるのよ〉、後ろで美少女の声がした。ぼくは驚いて振り向いたが、後ろには羊男しかいなかった。羊男もあっけにとられたように後ろを振り向いていた。

〈さ、早く逃げるのよ〉、もう一度美少女の声がした。ぼくは羊男の手をとって正面のドアに走った。震える手でドアを開け、転がるようにして部屋の外に出た。

早朝の図書館には人影はない。ぼくと羊男はホールを走り抜け、閲覧室の窓をこじあけて図書館の外に出た。そして息のつづくかぎり走り、やがて走り疲れて公園の芝生に寝転んだ。

ふと気づいた時、ぼくはひとりきりになっていた。羊男の姿はどこにもなかった。立ちあがって、大声で羊男を呼んだ。返事はなかった。夜はすっかり明けて、朝の太陽が最初の光を木々の葉に投げかけていた。羊男はどこかに消えてしまったのだ。

家に帰ると母親が朝食を作ってぼくを待っていた。いり卵とトーストと蜂蜜。

「おはよう」と母親が言った。

「おはよう」とぼくも言った。

そしてぼくらは朝食を食べた。むくどりも平和そうに餌をついばんでいた。まるで何ごともなかったように。靴を失くしたことについても母親は何も言わなかった。母親の横顔はいつもよりほんの少しだけ悲しそうに見えた。でもそんな気がしただけかもしれない。

それ以来、ぼくは一度も図書館に行っていない。もう一度行って、あの地下室の入口を確かめてみたいような気もする。でもやはりもうあそこには近づきたくない。夕暮に図書館の建物を目にするだけで、ぼくの足はすくんでしまう。

時々地下室に残してきた新品の革靴のことを考える。そして羊男のことを考え、美少女のことを考える。でもどれだけ考えても、いったいどこまでが本当に起こったことなのかわからない。わからないままに、ぼくはどんどんあの地下室から遠ざかっていく。

今でもあの革靴は地下室の片隅に置かれ、羊男は自分の居るべき場所を求めて、この世界のどこかをさまよっているに違いない。そう考えるのはとても哀しい。ぼくのやったことが本当に正しいことだったのかどうか、それさえ確信が持てない。

先週の火曜日、母親が死んだ。ひっそりとした葬儀があり、ぼくは一人ぼっちになった。ぼくは今、午前二時の闇の中に一人きりで、あの図書館の地下室のことを考えている。闇の奥はとても深い。まるで新月の闇みたいに。

あとがき

この『図書館奇譚』にはかなり込み入った歴史がある。というか、いくつかの紆余曲折みたいなものがある。少し長くなるけれど、やはり必要だと思うので、いちおう説明をしておきたい。

この話は最初に「トレフル」という、某百貨店のお洒落なＰＲ誌に連載された。どうしてそんなところに、このような奇妙な話が連載されたのかを説明すると話がけっこう長くなるのだけど、とにかく『図書館奇譚』は１９８２年の６月号から11月号にかけて、その雑誌に掲載された。そして他の短かめの作品と一緒にまとめられ、１９８３年９月に平凡社から『カンガルー日和』というタイトルで出版された。現在は講談社文庫に収められている。これがこの作品のそもそものオリジナルのかたち（ヴァージョン１）。

でもそれを、やはり講談社から出ている「村上春樹全作品１９７９〜１９８９」に収録する際、せっかく違うフォーマットで出版するのだからということで、文章にいくらか手を入れた。「全作品」ではキャリアの初期に発表したいくつかの作品に、同じように手を入れている。これがヴァージョン2。

　次に佐々木マキさんと一緒にこの本を絵本化しようという企画があり、そのときけっこう大幅に文章を書き直した。絵本にするわけだから、文章も当然ながら変わってこざるをえない。もともとはどちらかといえば大人向きのダークな童話みたいなものだったのだが、いくぶん（あくまでいくぶんだが）「子供向け」寄りにリライトしたわけだ。言葉づかいも少しやさしくなっている。内容の違いを明確にするために、タイトルも『ふしぎな図書館』と変更された。この本は２００５年１月に出版され、現在は講談社文庫に収められている。これがヴァージョン３。

　ところが数年前に、僕のドイツの出版社であるデュモン社が、この本のドイツ語版を出したいと言ってきた。ただし絵はドイツ人の画家、カット・メンシックに新たに描かせたい。カット・メンシックはこれまでにも僕の『ねむり』『パン屋を襲う』で一緒に仕事をしてきた才能ある女性画家であり、僕の方にもちろん異存はなかった。この本はドイツで２０１３年に刊行された。その日本語版が、今手にとっておられるこの『図書館奇譚』である。このドイツ語版絵本は、これまでにいくつかの国語に翻訳されている（刊行予定のものも含めると、スペイン語、イタリア語、ヘブライ語、チェコ語、フランス語、中国語、韓国語）。文章は絵本版『ふしぎな図書館』（ヴァージョン３）がテキストになっている。

ただし本書『図書館奇譚』（日本語版）の文章は、オリジナル（ヴァージョン1）にあらためて手を入れたものになっている。これがヴァージョン4。今回はカット・メンシックの絵の雰囲気にあわせて、もう一度より大人向きに話が振られていると思う。

つまり全部で四種類のヴァージョンがこの『図書館奇譚』（別名『ふしぎな図書館』）には存在することになる。どうしてこんなに何度も書き直したのか、と尋ねられても困る。そういう機会がたまたま何度も与えられて、そのたびに「せっかくだから」と思って書き直したということなのだろう。本当にキャリアの初期に書いたものなので、書き直す余地がたくさんあったということもある。後期の作品はそれなりに密に書き込んであるので、なかなか簡単には手を入れにくい。下手に手を入れるとバランスが狂ってしまうことがある。その点、初期の作品は風通しが良いので、手を入れやすい。そういうのは、作者としてはなかなか楽しい作業でもある。文献的にはかなり面倒なことになるかもしれないが。

ちなみにこの作品はなぜか、デザイナーやイラストレーターの創作意欲をそそるらしく、現在アメリカとイギリスとで、それぞれに異なったデザインでの『図書館奇譚』絵本化プロジェクトが進行している。アメリカ版では、僕と長年一緒に仕事をしてきたクノップフ社のチップ・キッドがデザインを担当している。イギリス版では、やはりずっと一緒に仕事をしてきたハーヴィル社のスザンヌ・ディーンがデザインを担当している。どちらもずいぶん凝りに凝ったデザインで、優劣つけがたい。チップは例によってお洒落にスーパー・ポップに、スザンヌはため息をつくくらい緻密に知的に本を仕上げている。そのようにしてドイツ版、アメリカ版、イギリス版、そして最初の日本版と、四種類の絵本版『図書館奇譚』が、この世界に揃ったわけだ。もしできれば読み比べて（見比べて）いただきたいと思う。きっと「同じ文章の内容で、これほどまでに違うものか」と、驚嘆されるに違いない。

最後になったが、素敵な挿画を描いてくれたカット・メンシックに感謝したい。彼女のオリジナルな特異な視線と、鋭い切っ先を持つタッチには、いつもながら感服しないわけにはいかない。彼女は僕の物語をもとにして、彼女自身の新しい風景をそこに創り上げている。彼女がここに描きだした鮮やかにイマジナティブな、そしてどこまでもダークな地下世界は、間違いなく僕の小説世界と響き合う性質を持ったものだ。

２０１４年10月

村上春樹

初出「トレフル」1982年6月号〜11月号
単行本『カンガルー日和』(平凡社 1983年9月刊) 所収

図書館奇譚
(としょかんきたん)

発行
2014年11月25日

著者
村上春樹
(むらかみ はるき)
イラストレーション
カット・メンシック
発行者
佐藤隆信
発行所
株式会社新潮社
〒162-8711 東京都新宿区矢来町71
電話
編集部03-3266-5411　読者係03-3266-5111
http://www.shinchosha.co.jp
印刷所
大日本印刷株式会社
製本所
加藤製本株式会社

乱丁・落丁本は、ご面倒ですが小社読者係宛お送り下さい。
送料小社負担にてお取替えいたします。
価格はカバーに表示してあります。

ISBN978-4-10-353430-3 C0093

『ねむり』

眠れなくなってもう十七日――
ある日突然眠ることのできなくなった主婦の
不思議な世界を描いた村上春樹の名作『眠り』が、
21年ぶりの全面的な改稿を経て登場

『パン屋を襲う』

「殺っちまおう」と相棒は言い、
「もう一度襲うのよ」と妻は言った——
村上春樹の初期名作二篇が時を経て甦る!
ドイツ気鋭画家のイラストで贈るアート・ブック

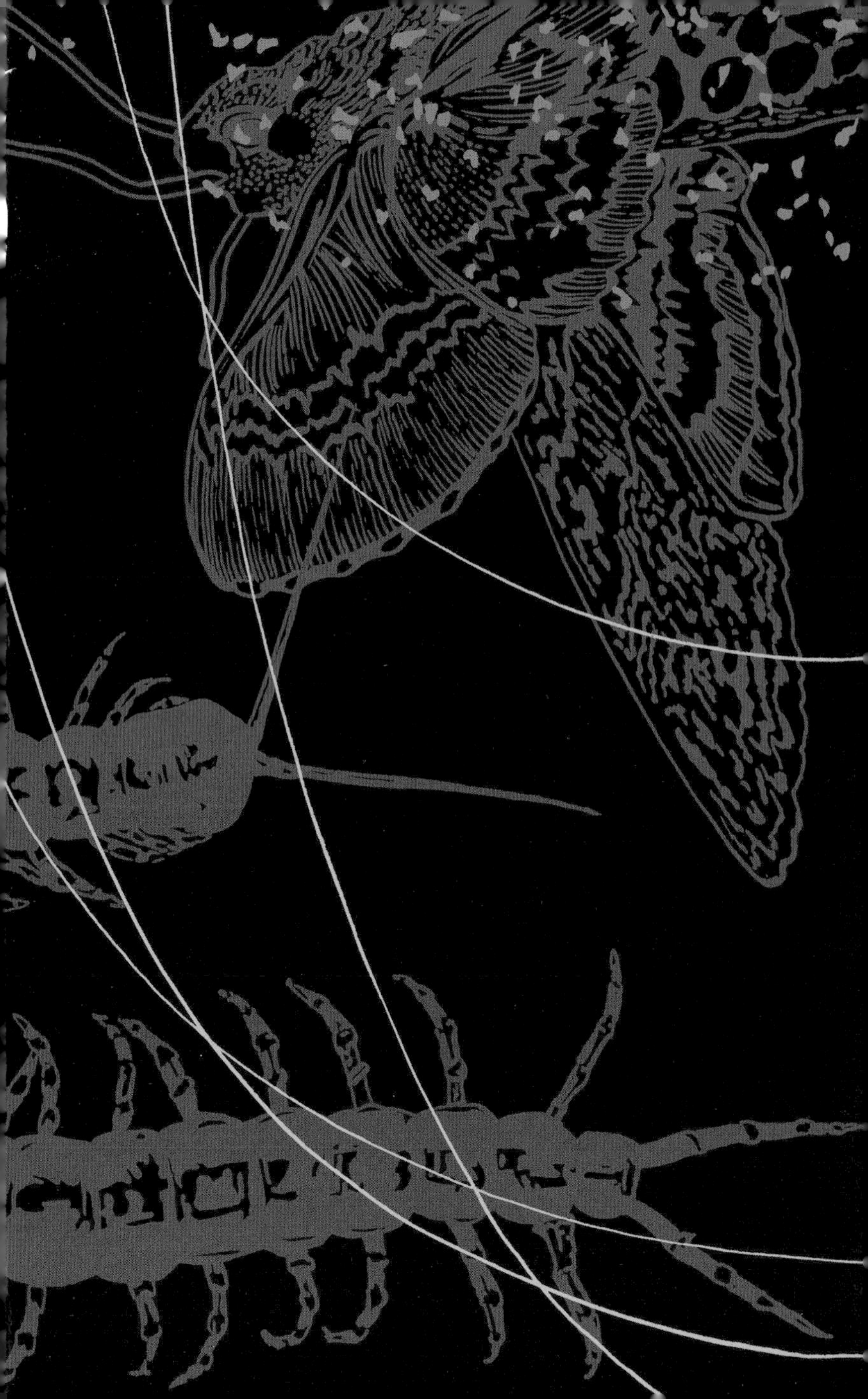